POEMS

By Susan Cohen
Text copyright ©2021
www.theweebookcompany.com

A CIP record of this book is available from the
British Library.

Paperback ISBN 978-1-913237-13-4

First published in the UK in 2021
by The Wee Book Company Ltd.

Printed and bound by Bell & Bain Ltd, Glasgow.

SUSAN COHEN

CONTENTS

INTRODUCTION

LOVE

LIFE

TEARS

LAUGHS

THOCHTS O' HAME

THE FINAL WORD

GLOSSARY

INTRODUCTION

*Ah wance saw a llama feed Scotch pies
tæ Bananarama.*

Hmmm, even ah can see tha lockdoon wus gettin
tæ me when ah wrote this line. Mind, dinnæ get me
started oan *Alasdair, the Alliteration Fairy who lived
in a colossal custard cream.* Jings, tha must've been
a day an' a hauf.

Still, ah'd lik tæ think tha this collection o' poems
contains a wee bit o' sense noo an then. They're
underscored by faint hints o' anxiety an' angst caused
by the feelin o' the wurld gaun tæ hell in a
handcart so they contain wee nods tæ the need tæ
tak guid care o' wur precious lives. Naw, ah huvnæ
got a tear in ma een, it's jist a wee speck o' dust
or sumthin ...

Dig In wus written fur performance as part o'
Scotland's online celebration o' St Andrew's Day oan
30 November, 2020. It wus performed by fowk fræ
a' walks o' life across Midlothian, The Wee Book
Company's stompin ground, an written in line wi the
Scottish Government's mission tæ show how Scots cuid
join tægither tæ show resilience, community spirit an
shared kindness in troubled times. The video's still
lurkin aboot oan thon youtube sumwhere. Ah'm the
wan wi the lockdoon hair wearin a hoodie twa sizes
too big. No a guid look fur sumwan o' ma
advanced years.

Well, ah jist want tæ say hunners o' thanks fur
buyin this book or if sumwan gave it tæ ye as
a pressie, hunners o' thanks tæ them fur choosin
it instead o' a scented candle or a tea towel
or a bar o' soap.

Wi love,

Susan

SUSAN COHEN

LOVE

COME SIT WI ME IN THE FRIDGE

Will ye sit wi me in the fridge
When ma hormones mak me sweat
An runnin fast fur cover
Wuid be a safer bet?

Will ye coorie in wi me a' nicht
When ah'm watchin trash TV
An ah'm wearin ma auld jammies
Haw-in an hee-in lik a banshee?

Will ye jump wi me oan a bungee
When ah start gaun radio rental
When ah start yearnin fur ma youth
An gaun a bittie sentimental?

Will ye limp alang by ma side
When ma auld knees baith gie way
An breakin in replacements
Maks me crabbit ivry day?

Will ye jist stick wi me
Næ matter wha droops doon
When ma body stiffens up
An ah can barely turn aroond

Tæ find oot jist where ah am
Or where ah think ah'm gaun?
Will ye be the wan who'll stick by me
When ah hoof aboot wi ma knickers showin?

Aye, ah think ye will be the wan
Who'll be there fur me næ matter wha
Tho we live in Forfar
It'll be wur ain Camelot.

MA FAIRY WISH

Ah wance heard a baboon
Play Mhairi's Weddin oan the bassoon
Ah wance saw a llama
Feed Scotch pies tæ Bananarama
Ah wance saw a broon bear
Toss the caber wi dyed blonde hair
Ah wance saw a scabby wee dug
Drink a hot toddy fræ a porcelain mug
Ah wance saw a goldfish
Eat clootie dumplin auf a silver dish
But ah've nivver met a fairy
Who wuidnæ throw a pure mental hairy
Fur thinkin ma wish wus jist loony
Tæ up an marry thon George Clooney!

IT STARTED WI A PANDROP

It started wi a pandrop
A' the bus stop in the rain
She wus gaun tæ Govan
He wus gaun tæ Dunblane.

They joked aboot the weather
An they laughed aboot his brolly
They watched a wee wean in a pram
Sook oan a multi-coloured lolly.

She thocht he wus richt couthie
He thocht she wus richt smart
He dropped his pandrop in the gutter
She laughed, cryin him a clart.

She saw the kindness in his een
He noticed her wide smile
An a' the time they knew their buses
Wuid roll up in a wee while.

Suddenly she said tæ him
Why don't we run away?
Let's go for a wee swally
An write auf the rest o' the day!

An tha's how the best stories start
Wi an impulsive darin grab
No wi over-thinkin
Or false gifts o' the gab.

Seize the minute, seize the day
Tak a big wild chance!
Then dæ the same thing o'er an o'er
An feel yer brave heart dance.

IN LOVE WI THE POSTIE

Ah think ah'm in love wi ma postie
But ah jist cannæ let him see
How lang ah wait aboot fur him
An wha he means tæ me.

He's the wan who delivers the guid news
He's the wan who delivers the bad
He does it wi a wave an a cheer
He's nivver doon an sad.

Ah wish ah hud a friend lik ma postie
Who delivered bang oan time
Who wus cheery næ matter the weather
Who nivver made me staund in line

Who made me feel important
Each an ivry day
Who jist tells me how it is
In a canny cheerful way.

Meebes ah'll ask ma postie
Inside fur a wee cup o' tea
But it's no gaun tæ be the same
Ahint the uniform, there's a pesky humanity!

Næ doubt he's the same as the rest o' us
Foo o' life's ups an doons
Mebbes ah'll keep him at arm's length
An through the door ah'll listen tæ him whistle
his tunes.

HENGIN ROOND THE LILY POND

She'd hud enuf o' datin
A hale string o' glum næ-hopers
Who'd come up wi their lang lists -
Guid sense o' humour an non-smoker

Lang hair but no too lang
Educated but no too clever
Sumwan quiet an devoted
Tha'll stick wi them furiver

Sumwan næwhere near their age
Sumwan young an zippy
Sumwan wi their ain voice
But she cannæ be too lippy!

No too big an no too wee
Got tæ be jist the richt size -
Wha do they think they're dæin?
Tell me, are they really wise?

Dæ they think they're orderin up
Sumthin auf thon Amazon
Don't they iver wunner
Where respect an decency hus gone?

Fowk come in a' sorts o' packages
They travel in disguise
Unnerneath the wrappin
Lie qualities no advertised.

She'd finished wi this business
This thing cried internet datin
It wus as if she'd been put her life oan hold
Parked oan a shelf, jist meekly waitin.

Næ mair hengin roond the lily pond
Tæ kiss auld croakin toads
Time tæ turn hersel intæ a Princess
An waltz her ain way up life's road!

COURTIN IN THE VEG AISLE

He wus kinda shy
But she thocht she caught his eye
Reachin fur the tin o' peas
She wus switherin tæ buy.

Petit pois or garden peas
Or muckle great marrowfats?
Why did they huv tæ mak shoppin
As complicated as tha?

She only went tæ the supermarket
Tæ tak a swatch a' thon big hottie
The wan in thon uniform
Who looked baith innocent an naughty.

She wus jist lik sunlicht
Dancin through still iron brew
She looked lik she'd splashed her coupon
Wi a drap o' mornin dew.

Bonnie as a bunch o' primroses
Nicked fræ the local park
She wus jist his dream lass
He wus sure there wus a spark

When he caught her eye tha day
Fræ across the tinned veg aisle
An in return she'd flashed him
Wan o' her beamin knockoot smiles.

The courtin dance went oan fur months
Til they cuid tak næ mair
Wan wuid huv tæ mak a move
Or they wuidnæ huv a prayer.

'Excuse me,' she said late wan nicht
When the shop wus deserted
'But ah think ah need sumwan
Tæ mak sure a crime's averted.'

'Oh aye?' he said a' googly eyed
'Ah'm the man ye need!'
'Ah ken tha fine,' she said tæ him
'Ye're enuf tæ mak ma heart bleed.

The crime ah'm meanin is you næ bein mine
Ah come here ivry week
Ah only come tæ check you oot
Ah'm næ here jist tæ peek

A' the contents o' the freezer
It's you ah'm checkin oot
Wuid ye jist ask me oan a date
Ye great big gallus galloot?'

An tha wus how it a' started
They started winchin in grand style
Til thon braw special day
He walked her up the frozen aisle.

They wed in front o' steak an kidney pies
An pepperoni pizzas
Then they went tæ the soft fruit section
Tæ huv a celebratory knees up.

They toasted each ither lovingly
Wi cartons o' chocolate milk
An feasted oan punnets o strawberries
Wi cream whipped sauft as silk.

'Ah huv nivver bin this happy,'
He whispered in her ear
'Me neither,' she whispered back
'Aren't we lucky tæ be here

In this shop, wur special place
Where we can build a hame?
We'll coorie doon near the sauft drinks
Though it willnæ be the same

As the wild parties we cuid huv
By the wines an spirits
Still, we can build a tent in the hardware aisle
An canoodle in it.'

'Ooh,' he said, 'ye're wan fine lass
Ah'm so glad ye're mine.
Spendin furiver wi' you up an doon the aisles
Will be a life divine.'

PLAIN OR PAN

If wee bees hud knobbly knees
If cats hud pink pyjamas
If there wus a jewel in the crown
If fields were foo o' llamas
If wee ants wore bricht blue pants
If crops were clarted in cream
If my left eye hud an apple
If ma life wus but a dream
Ah wuid still think ye're the wan fur me
It's jist lik ah've a'wiys said -
Plain or pan ah know fur sure
Ye're the best thing since sliced bread!

DINNÆ SETTLE FUR 'MAYBE'

Dinnæ be a guinea pig
It's jist a budget rabbit
Dinnæ be sumwan's 'maybe'
It'll mak ye wabbit.

Næ bein sumwan's number wan
Will surely tire ye oot
So dinnæ stick wi sumwan who
Doesnæ gie a hoot!

Ye want tæ be wi sumwan
Whose heart jist beats fur you
Ye want tæ be wi sumwan
Who willnæ mak a hullabaloo

Aboot wha they want fræ ye
Or how they think ye shuid be
Ye want sumwan whose real love
Jist quietly lets ye be.

HOW MONY FOWK TÆ CHANGE A LICHT BULB?

How mony fowk tæ change a licht bulb?
Is wha he asked me when
Ah looked a' him richt funny
An said ah didnæ ken.

It's easy, he said richt back
The bulb hus tæ be changed richt quick
Fur the room's plunged intæ darkness
An fowk inside are getting sick

An tired o' bumpin intæ things
Scattered roond they jist can't see
So how many fowk tæ change a licht bulb?
Ah asked, are ye havin a laff at me?

Naw, he said, far fræ it!
The answer's richt afore yer eyes
It jist taks wan tæ tak the first step
An tha wan will think big, be wise

Enuf tæ change the situation
Tæ turn darkness into licht
Noo, dæ ye see wha ah'm askin?
Jings, he was as sharp as dynamite!

He knew fine weel ah'd been there
In thon scary darkened room
Wi fowk clumpin intæ things
In thon murky gloom

Ah wus the wan who changed the bulb
Wi' næwan's help, jist mine
An sumtimes it plays oan ma mind
If ah'm honest, a'most a' the time.

Aye, he said, ah know tha fine
But noo ye huv me here
When the lichts go oot, as they a'wiys dæ,
Ah'll be nice an near.

So how many fowk tæ change a licht bulb
Efter it goes an bursts?
The answer's noo as plain as it can be -
Whichever o' us gets there furst.

A WEE LIE DOON

Aye, ah hear wha ye're askin
Wus my quiet reply
Mind, tho ah get the question
Ah dinnæ ken jist why
Ye're askin it o' me
An no o' sumwan else
Ah'm jist so used tæ bein perched
Up high up oan the shelf.

So ye think ah'm gorjus?
Ye think tha ah'm a catch?
Ye're tellin me ye love me?
Ye think tha we're the perfect match?
Aye, ah'll gie ye ma answer
It's jist been a wee shock
There's an awfy lot tæ think aboot
Ah'd huv tæ go shoppin fur a frock.

We'd huv tæ send oot invitations
An book a nice hotel
We'd huv tæ book a church
An some big fancy cars as well
Och aye ah'll gie ye ma answer
Ah'll gie it ye richt soon
But noo ah'm in a bit o' shock
Ah'll huv tæ go lie doon.

MINCE AN TATTIES

Ah'm the mince
Ye're the tatties
Ah'm the balti
Ye're the chapatis
Ah'm the chips
Ye're the sauce
Ah'm the minion
Ye're the boss
Ah'm the Fran
Ye're the Anna
Ah'm the apple
Ye're the banana
Ah'm the Francie
Ye're the Josie
Ah'm the tea pot
Ye're the cosy
Ah'm the burger
Ye're the bun
Ah'm the moon
Ye're the sun
Ah'm the bacon
Ye're the bap
Ah'm so lost
But ye're ma map.

IT'S A BRAW BRAND NEW DAY! EH?

Did ye get oot yer bed
The wrang side the morn?
Did ye discover yer best goonie
Wus a' maukit an torn?
Did ye forget tæ salute the sun
Oan yer yoga mat?
Did ye run oot o' sauce
Fur yer smoked bacon bap?
Did ye no huv yer furst
Café latte o' the day?
Did ye stick oan yer baffies
An step in the litter tray?
C'mon noo, how dæ ye feel
Aboot this braw brand new day?

Eh?

Ye're auf back tæ yer bed?

STRONG, BRAVE-HEARTED AN TRUE

May yer love life be lik a clootie dumplin
Steamin, hot an fruity.

May yer passion be lik a white barn owl
Fierce by nicht, a' loud an hooty.

May yer mind be lik a heather moor
Open wide unner bricht blue skies.

May yer spirit be lik an osprey
Soarin free an flyin high.

May yer heart be lik a baked tattie
Roasty toasty, hale an hearty.

May yer wealth be lik treacle toffee
Attractin abundance cos it's clarty.

May yer family be lik a warm jaiket
Comfortin an huggy.

May yer plans be lik a golf course
Played smooth in a leckie buggy.

May yer personality be lik iron brew
Brichtly coloured, foo o' sparkles.

May yer self esteem be lik a Princess
Sorted lik thon Meghan Markle.

May yer character be lik spring watter
Calm, clear an see through.

May yer life be jist lik Scotland
Strong, brave-hearted an true.

IT ONLY TAKS A SECOND

It only taks a smile tæ cheer sum crabbit beggar up
It only taks a drop o' watter tæ fill an empty cup
It only taks a hug tæ make a cauld soul warm
It only taks a gentle breeze tæ calm a ragin storm
It only taks a furst step tæ clamber up a hill
It only taks a moment tæ breathe an be quite still
It only taks a wee jump tæ believe tha ye can fly
It only taks a quiet while tæ figure oot jist why
Ye are oan this big braw earth
an wha ye're gauntæ dæ
Wi this beautiful life o' yours an its precious days.

BROOCHES OAN WUR CARDIS

Wha if wur hearts were fastened oan
Lik brooches tæ wur cardis?
Wur hearts wuid heng ootside wur chests
An we cuid see they werenæ hardy.

We'd see tha they were delicate
Lik flimsy butterfly wings
So we wuid huv tæ take care o' them
Lik precious vulnerable things.

We cuid see if they were damaged
Richt there oan wur knitwear
We'd nivver push them tæ their limits
Tæ see how much they cuid bear.

We'd nivver smash a heart up
An expect it jist tæ mend
We'd nivver o'erload a heart
An expect it jist tæ bend.

Be carefoo wi fowk's hearts
An be carefoo wi yer ain,
They are made o' fine stuff
They're no built fur pain.

MA LUCK IS A' THINGS GUID

Ma luck is lik a bald gadgie
Who jist found a fine tooth comb.
Ma luck is lik a flat-dweller
Who jist won a garden gnome.
Ma luck is lik a salmon
Who jist found a bike.
Ma luck is lik Sir Chris Hoy
Who hus tæ pedal an auld trike.
Ma luck is lik a racin car
Wi a muckle great flat tyre.
Ma luck is lik a hot air balloon
Burst tæ bits, no flyin higher.

Or mebbes no.

Mebbes there's næ such thing as luck
Mebbes ah'll mak ma ain
Mebbes ah'll stop lookin fur bad stuff
Mebbes ah'll change the game.

Wha'iver ah look fur ah'll surely find
So ah'm gaun tæ look fur bliss
Sprinkled wi a dustin o' success
An sealed wi a big sloppy kiss.

WAN DAY ...

Wan day ah'm gaun tæ learn
Tæ play the violin
But noo ah've got cleanin tæ dæ
An the state o' ma carpets is a sin!

Wan day ah'm gaun tæ climb
A muckle great Munro
But noo ah huv piles o' washin
They willnæ dæ themsel's y'know!

Wan day ah'm gaun tæ sit doon
An write a cracker o' a book
But the grass needs cut, the car needs washed
Jings, wuid ye tak a look?

Heng aboot.

Wha happens when tha 'wan day' thing
Is jist næ longer there?
When a' yer days run oot
Tell me, will ye really care

Aboot a the stuff ye've gone an done
Instead o' makin yer dreams real?
Mind an ca canny, fur then
How are thæ choices gaun tæ mak ye feel?

DINNÆ WAIT

Dinnæ wait tæ win the lottery
Dinnæ wait til ye win big
Fur yer days tæ be great days
So ye can huv a big shindig.

Huv a hooley when it's rainin
An dance when the sun shines
Sing when it's a' gaun bits up
An ye've missed a' yer deadlines.

Doesnæ matter wha the days are dæin
They belong tæ you
Hud them safe in yer baith haunds
Dinnæ let them jist slip through.

YER LIFE'S WURK

An wunner if thon Elton John
Hums tæ the tune o' Your Song
When there's a great big stooshie
An a'thing's jist gaun wrong?

Ah wunner if thon Rod Stewart
Belts oot bars o' Maggie May
When it's a' aboot tæ kick auf
Oan a bugger o' a day?

Ah wunner if lines fræ Harry Potter
Are quoted by J K Rowling
When there's a muckle great stramash
An fowk aboot are howlin?

Wha will lift yer spirits
As yer life's best bits o' wurk
Tæ keep ye gaun through the middens
Tæ propel ye through the murk?

Huv ye built a braw wee hoose
Or done a bonnie paintin
Huv ye got a fantoosh degree
In the art o canine trainin?

Wha'iver yer achievement
Heng ontæ it wi pride
It'll keep ye gaun through dark days
An plenty mair besides.

If ye feel ye huvnæ done it yet
Best git oan yer skates
Dinnæ put auf wha ye can dæ today
Dinnæ look fur yer life's purpose late.

HAUF FOO CUP

Ah kent fine it wus a shite day
When ah stepped richt in sum keich
Ah didnæ e'en huv toys tæ haund
None tha ah cuid wheech

Richt oot o' ma wee pram
An' a' the wiy doon the street
Look a' the state o' ma gutties!
It was enuf tæ mak me greet!

Ah decided tæ tak sum time oot
An look a' the bricht blue sky
Why wus this happenin tæ me?
Oh why, oh why, oh why?

An then there wus this lightnin bolt
Tha only ah cuid see
Jings! Wha wus ah thinkin o'?
Why shuid it no be me?

Aye, it wus a shite day
But it wus a guid wan tæ
Ah cuid dicht ma gutties
Ah hud a place tæ stay

Ma place wus warm an foo o' food
Wi streamin internet
Ah wus well aheid o' the game
Och, it's a surefire bet

Tha when ye feel things are gaun doonhill
Ye can a'wiys push them up
An remember ye huv in her haunds
A brimmin hauf foo cup!

JUGGLIN PLATES

Dinnæ think because ah'm smilin
Ah'm findin life a skoosh
Really unnerneath it a'
Ah'm squealin' lik Kate Bush
Who cannæ reach thæ wutherin heights
Tæ keep a' thæ plates jugglin
Cos they fa doon an smash tæ bits
When ah feel tha ah'm jist strugglin.

Ah huv tæ sweep the mess up quick
Afore anybody sees
Cos behind this strong happy front
Ah'm really oan ma knees
Ah'm weel used tæ movin quick
An moppin tears wi a cloot
Ah put ma very best game face oan
An throw the soor puss oot.

But dinnæ think because ah'm smilin
Ah dinnæ need yer kindness
Jist because ah look upbeat
Dinnæ look a' me wi blindness
Open yer een an open yer heart
An please jist take yer time
Tæ see the real me ahint the smile
An git acquent wi thæ hidden depths o' mine.

TWA FACES

Ma ain heart is an endless source
O' fascination tæ me
Ma wee muscle is as springy
As an elastic band shuid be.

Sum days ah shut it doon
Against the slings an arrows
Sum days it stretches far enuf
Tæ reach high flyin sparrows.

Ah luv fowk who luv me back
An e'en sum tha dinnæ bother
Ah luv sum jist a bit too much
Lik an anxiety-ridden mother.

But there's sum who can jist go whistle
They're næ the fowk fur me
They're the fowk who have twa faces
Wan they think næbody sees.

Wha they dinnæ realise
Is tha fowk can see richt clear
But it's openness an honesty
Tha fowk hud close an dear.

It's jist a waste o' energy
A' tha disguisin an tha hidin
The truth staunds oot fur a' tæ see
Jist lik a clown tha goes hang glidin.

FUR THE MAMMIES

Whadya think wuid happen
If bairns cuid tak their Maws oan their knees
An tell them a bit aboot childhood?
Cos it's no jist aboot finishin yer peas!

The bairns cuid remind their Maws
Aboot the joy o' discoverin new things
Aboot listenin tæ fresh sounds
An splashin roond wi watter wings.

The bairns cuid tell their Maws
Tha they laugh hunners o' times a day
Tha they cannæ wait tæ wake up
An jist play an play an play.

The bairns cuid tell their Maws
Tha their days are the same as theirs
An that mebbes they can unlearn
How to carry a' thæ cares

Tha huv made them a' stop laughin
Hunners o' times a day
Tha huv robbed them o' the joy
O' stoppin sumtimes, jist tæ play.

Mebbes there's sumthin tæ be learned
By Maws sittin oan their bairns' knees
Mebbes it's the wee bairns
Tha cuid put their Mammies at ease.

A BEAMIN BEACON

'Look a' thon dug's dinner!' they said
When she passed them oan the street
They knew fine tha she cuid hear
Wha did they think - tha she would greet?

Ivry time they tutted
An sought tæ disapprove
O' this, o' tha, o' sumthin else
Did they hope tha she wuid move

Awa tæ sumwan else's toon
Where ivrywan wus the same?
Or did they hope she'd jist stay there
An heng her heid in shame?

Instead she did the opposite
O' wha they really wanted
An posted oan thon facebook
Pure gallus an undaunted

'Kindred spirits welcome here
Come tæ number forty-two
An if ye huv sum oddball pals
Jist bring them alang too!'

She threw a great loud hooley
Ivry single nicht
The lichts in her hoose were a'wiys oan
Aye, they wuid shine so bricht

Lik a beamin beacon o' difference
In a street tha's paved wi grey
An noo when she walks doon it
There's næbody tha says

Tha she's onybody's dinner
Let alain a dug's
She stayed true tæ her ain self
An noo her neebors wear earplugs.

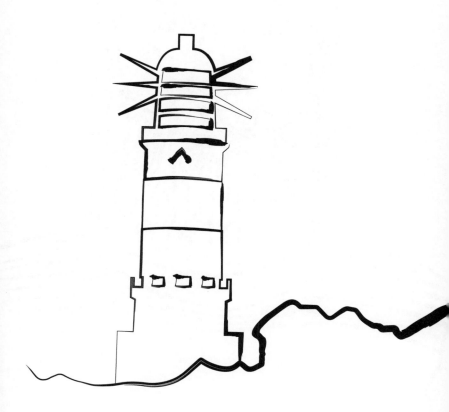

THE GIFT, THE PRESENT

Since when did bein busy
Become sumthin tæ admire?
Since when did dæin nothin
Come unner heavy fire?

Dæin nothin is nivver useless
Stillness can change yer days
If ye keep calm an clear an let it
Dæ its thing in countless ways.

Withoot jist dæin nothin
We cannæ breathe an jist move oan
Withoot stoppin tæ dæ nothin
Wur lives huv næ soarin song.

Bein crazy busy isnæ sumthin
Fur us tæ savour
Bein mental busy is nothin mair
Than necessary labour.

Dæin nothin is the peaceful gift
Tha ye must gie yersel
Dæin nothin is the very best book
Perched oan the very top shelf

Dæin nothin in the present
Is surely a'body's true aim
Gie yersel the gift o' nothin
An leave busy alain - withoot a name.

REACH THE MOON

She wore wurries oan her shooders
Lik a muckle great hiker's pack
Chock foo o' wet woolly socks
An a' sorts o' bric-a-brac.

She stumbled roond strugglin slowly
Sumtimes sinkin tæ her knees
She cried quiet in the darkness
Where næbody cuid see.

Then there came a day
She set the big pack doon
She started her ain love affair -
Her very ain honeymoon.

She fell in love wi lightness
She fell in love wi joy
She fell in love wi laughter
She became the real McCoy.

She became her ain true self
Withoot bein weighted doon
An soon she started flyin
So high, she reached the moon.

THE TOO-TIGHT TUTU

Ma tutu wus too tight
When ah stepped oan tæ the high wire
It got stuck richt up ma sheugh
It cuid git næ higher!

Ah wriggled an ah jiggled
But ah cuidnæ tease it loose
Wi ivry shoogly step ah took
Ma language became mair profuse!

In the blink o' a shiny een
Ah made it cross the rope
Thinkin only o' ma rear end
Nivver realisin ah hud a hope

O' bein a tightrope walker
Who skipped across the hale jing bang thing
Focusin only oan ma erse cheeks -
A distracted star o' the circus ring!

Mebbes ah shuid take ma mind auf
A' thæ ither things as well
So's ah can jist crack oan
Wi none o' thæ stories tha ah tell

Masel' tha naw, they're jist impossible -
Too hard tæ gie 'em a go!
Ah'll jist think o' ma too-tight tutu
An leave thæ difficult things tæ jist flow.

YER INNER ROBERT BURNS

If Robert Burns wus alive the day
Who'd ye think he'd be?
Wuid he be a wee gadgie in the park
Sippin a cup o' tea
Fræ a metal thermos tryin tæ keep warm
Heidin back tæ his three bar fire
When grey clouds release their storm?

Naw, he'd be a total wild boy
Reborn wi his een opened
So he'd tame his savage excesses
Aye, he'd sure huv them tæ rope in!
Mebbes he'd be Russell Brand
Wi a hint o' thon Keith Richards
The anarchic wan o' the band -
The wan who growls in a' the pictures.

Burns wuid stride across the earth
Raisin hell an rufflin feathers
O' thæ genteel cage birds
Who'd think fur sure they wur his betters
Burns wuid slay them wi his rawness
He wuid let his gifts run free
He'd take pride in his ain genius
He'd chuck it oot fur a' tæ see!

Ah'm no sayin we shuid live lik Burns
Ah'm no sayin he's the ideal
But his rawness, bravery, self belief
Is sumthin tha shuid be real
Fur each an ivry wan o' us
Each an ivry day
Mebbes we shuid channel wur inner Burns
In mony muted kinds o' ways.

THE ELEPHANT
IN YER FRONT ROOM

Wha dæ ye dæ wi the elephant?
The wan who bides in yer front room?
Who looks lik he's gaun næwhere
Any auld time soon.

Dæ ye jist ignore him?
Try tæ forget tha he's richt there
Lyin oan yer fireside rug
Parked in yer fav'rite chair?

Dæ ye jist let him munch
Through a' yer favr'ite scran?
Leavin ye tæ forage fur
Wee crumbs wheriver ye can?

Dæ ye jist let him blaw his trumpet
An throw a muckle great stramash?
So ye huv næ peace an quiet
An yer life becomes a car crash?

Dæ ye jist let him block oot
The windæ's bricht sunlicht?
So ye live in darkness
Sure, tha cannæ be richt?

Dinnæ go giein him a name
Dinnæ try tæ be his friend
He'll tak o'er yer life, yer wurld
He'll drive ye roond the bend!

He'll get his big feet unner yer table
An mak himsel a' hame
So dinnæ be couthie tæ the big bawheid
Tha's no the wiy o' the game.

Wha if ye start tæ think up
Diff'rent wiys tæ get him oot
Focus oan the exit strategy
Oan how tæ gie him the boot!

Will ye squeeze him oot the windæ?
Will ye shove him oot the door?
Will ye grab a shovel
An dig a mahoosive hole in the floor?

Mebbes he's too big an strong
Tæ tackle by yersel?
Surely the smart thing then is
Tæ enlist sumbody's help

Sumwan who knows aboot elephants
An a' their sleekit ways
Who can help ye jist get rid
An reclaim yer happy peaceful days.

Wha'ever ye dæ jist remember
Thon elephant's no welcome in yer hoose
Dæ a' ye can tæ get shot o' him -
Hoof it, scram, vamoose!

BIG GEORDIE'S
MUDDLE HEIDED BUNNET

Big Geordie wore his bunnet
It wus a tweedy shade o' blue
Wi a metal badge oan top
Shaped like a Heighlan coo.

Big Geordie wore his bunnet
Pulled richt doon o'er his eyes
It was dark inside the bunnet
An it formed a deep disguise

O' a' tha tha went oan unnerneath
O' a' the guid an bad
The wurld cuid only see the bunnet
So Geordie stayed tweedily iron-clad.

Næbody cuid git richt close
An tha's the way he chose
Fræ beneath the bunnet's sma dark place
The wurld looked foo o' shadows

O' misery an trauma
O' fowk jist oan the make
O' stuff tha if ye werenæ carefoo
Wuid end up in heartbreak.

So Geordie an his bunnet
Were stuck jist lik tight glue
Til one day in thæ high winds
He tripped o'er his ain shoe

Tryin tæ gie the dog a kick
An stamp doon oan the cat
He toppled richt the wiy o'er
An his bunnet flew auf - jist like tha!

An suddenly the wurld appeared
In a' its blindin licht
The shock o' it, there were næ wurds,
'Eh? Surely this isnæ richt?'

Geordie jist couldnæ take it in
He sat in a wild daze
'Where's ma bunnet, ma comfort blanket?
How will ah git through ma days?

Ah'm gaun tæ huv tæ see the wurld
An it'll see me back
Jings! How am ah gaun tæ cope
As exposed as a Chippendale's six-pack?'

Time went oan an Geordie lived
Bunnet-less an bare
He got used tæ the licht an shade
And he learned jist how tæ care

Aboot the guid stuff an the bad stuff
An the stuff he didnæ dare
Let ivrybody else know
He'd hidden unnner the bunnet tha he'd wear.

Tæ his shock, he came tæ realise
Tha in his worries he wusnæ alone
Turns oot tha ivrybody else's noses
Were fixed tæ the same grindstone!

Wan day there wus a wee boy a' the door
'Hey mister, ah found yer bunnet
It hud flown richt up a tree
Thon bunnet! Clever, int'it?'

'Thanks,' said Geordie, quietly
'Here's a fiver fur yer trouble'
He turned an put the bunnet in
The bin beneath the midden and the rubble.

Time to get his skates oan
He'd wasted enuf time
Hidin unner his bunnet
Committin the mahoosive crime

O' retreatin fræ this great wide world
And shunnin its fine great days
Geordie's bald head was out and proud
And it wus there tæ stay!

BETTER LATE THAN NIVVER

She cannæ quite remember
When her silence really ſtarted
But wan day oot o' næwhere
She realised she'd lived broken hearted.

She hud kept her ain voice
Foo hidden fræ the reſt
An when sumwan hud a problem
She a'wiys tried her beſt

Tæ liſten an tæ liſten
And then tæ liſten mair an mair
Til she became invisible
Lik a shadow wi big ears.

Tho she didnæ ken where she'd gone
She wus sure tha she exiſts
She jiſt didnæ feature
A the top o' onybody's liſt.

Then wan day there wus a shaft o' licht
She didnæ really unnerſtaund
But it wus the beginnin
O' her giein hersel a haund

Jist lik she'd bin giein ither fowk
Fur years an years an years
Soothin a' their troubles
An calmin a' their fears.

It wus her turn tæ receive the kindness
Tha she'd been giein oot
She turned the tables upside doon
An turned them inside oot.

She became her ain best pal
An gave ithers' needs the boot
She tried tæ unnerstaund hersel'
There wus a lot tæ figure oot.

In the quiet stillness
She discovert she wus magic
She fell unner her ain spell -
Och, her life wus far fræ tragic!

She started tæ find her ain voice
She started tæ feel elated
She'd finally arrived in her ain life
E'en tho her arrival wus belated.

DIG IN

If yer get up an go
Hus got up an gone
If ye cannæ get excited
O'er a wee buttered scone
If ye're missin meetin yer pals
Fur a swally doon the toon
If ye're feelin tha yer piece
A'wiys lands jammy side doon
If ye're weatherin storm efter storm
But ye jist end up gettin drookit
If wee besoms are nickin yer boilin's
An they're a' gettin sookit
If ye're listenin tæ the wireless
Til yer lugs are jist ringin
If ye're still wearin jammies
Tha by noo are pure mingin
If ye're fed up o' watchin
Mince an blethers oan the telly
If ye næ longer notice
Yer wee dug hus turned smelly
If ye tak a keek in the mirror
An think ye look jist awfy
If ye jist want tæ coorie in
In yer goonie an baffies
If ye're sick o' tryin
Tæ home school the weans

If ye dinnæ care any mair
Whither yer sliced loaf is pan or plain
If ye sumtimes feel
Ye jist want tæ spit the dummy
If ye're findin tha
No even the Big Yin is funny
If ye cannæ be bothered
Puttin oot yer big wheelie bin
If thæ politicians haivers
Are jist wearin thin
If ye're scunnered
O' gaun fur the messages in a mask
If ye need love an support
Fræ sumwhere, anywhere
But ye're too feart tæ ask
Dinnæ be.
Jist dæ it.
Come on, wee pal.
Dig in.
Aye, it's time tæ dig deep
Fur ye've got yer heid tæ keep
A lot o' us are feelin the same
But mebbes the secret o' the game
Is tæ stick the gither.
Dinnæ wait
Til ye reach the end o' yer tether.

Reach oot
An whitever ye dæ
Remember who ye are
An wha stuff yer made o'
Remember where ye come fræ
An wha ye're no scared o'
An remember
Ye're no Scottish fur nothin.

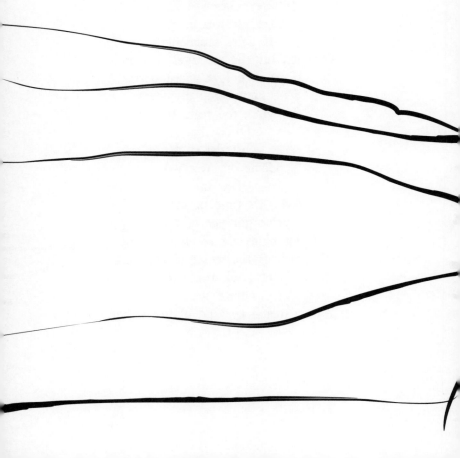

MIND THON GAP

Wha hus thon pandemic taught us
Aboot this life o' ours?
Wha huv we learned durin thæ long months
An weeks an days an hours?

Mebbes there's wan mahoosive thing
Tha loomed straicht intæ view
Sumthin we cuid næ longer deny
We cuid næ longer eschew.

The gap between science an life
Blindingly appeared
In a' o' its dark mystery
Suddenly drawin near.

Focus oan yon gap o' yours
Thon cavern in yer existence
Dinnæ avert yer gaze fræ it
No lookin is futile resistance!

Thon virus gave us a chance
Tæ embrace tha thing cried spirit
It's exactly wha the gap is fur
An we must choose jist how tæ fill it.

We can fill the gap wi hope
We can fill it wi belief
We can fill the gap wi activity
Or e'en light relief

We can fill it wi buckets o' love
For a' tha we hold dear
We can fill the gap wi hope
An strength tæ persevere

But throughoot it a'
Wan thing's been very clear
We cannæ, jist cannæ
Fill thon gap wi bitterness an fear.

SUSAN COHEN

TEARS

JIST A WEE BIT

He wus breathin
Jist a wee bit
An callin it a life.
She wus frettin
Jist a wee bit
An callin it pure strife.
Neither were they richt
But neither were they wrong
They jist werenæ stoppin
Tæ listen tæ life's song.

YER HOOSEMATE

The pain o' losin sumwan
Lives a life a' o' its ain
Jist lik a big sad hoosemate
Who bides wi ye a' hame.

Sumtimes it hus a hooley
Thrashin roond lik a big bam
It maks ye greet it maks ye howl
Then goes as quiet as a lamb.

Ye huv tæ gie it hooseroom
Næ point in beggin it tæ leave
The fact is it's part o' yer life
An ye huv tæ let it breathe.

But dinnæ let it tak yer oxygen
Dinnæ let it tak yer air
Let it dæ its ain thing
But stealin yours awa isnæ fair!

Pain exists within wur hames
Tha's jist the way it goes
But keep yer hame a happy wan
Ye've got a life tæ live, y'know.

JIST DINNÆ

Dinnæ think ye dinnæ matter
When ah drink tea fræ yer special cup
It's ma mornin lifeline
Ivry day as ah get up.

Dinnæ think ye dinnæ matter
When ah dance tæ yer fav'rite song
The wan we'd hum an jig tæ
But ye're no here tæ sing along.

Dinnæ think ye dinnæ matter
When ah read lines fræ a Wee Book
Tha we wuid read the gither
Which made us baith laugh til we shook.

Dinnæ think tha ye dinnæ matter
Jist dinnæ.

IT HUD TÆ BE GRIM

Aye, it wus grim
Thon dark place ye were in
But where wuid ye be
If ye hudnæ huv fleed
As fast as ye cuid
Jist as ye shuid.

Dinnæ look back
Dinnæ ransack
Thochts richt through
Næ use tæ ye noo
Robbin ye blind
Keepin alive wha's left far behind.

It hud tæ be grim
Don't yet see?
Or ye'd huv settled an stayed
An wasted yer days
In borderline sadness
Tha wuid've bin madness

Tæ live a cowed life
Lik a hauf shut knife
If it hudnæ been grim
Yer lichts wuid be dim
But look a' ye noo
Ye're free tæ be you.

DAY BY DAY

If ah'd known tha wus the laſt time
Ah'd huv ſtayed a wee while longer
If ah'd known tha it wus over
Ah'd huv been a wee bit ſtronger.

If ah'd known it wus the end
Ah'd huv been so much mair givin
If ah'd known there wus næ mair
Ah'd huv done so much mair livin.

But noo here ah find masel
Wi only ma auld memories
Which ah use a' the time
As ma heart-healin' remedies.

There's only wan wiy fur me
Tæ escape ma rumblin tumblin thochts
Cos ah cannæ be drawn intæ
A' thæ wha' ifs an wha' nots?

Here an noo, today
Tha's it, tha's ma reality
Time tæ live ma life
Keep the heid an keep ma sanity.

SUSAN COHEN

LAUGHS

JUMP FUR JOY

Jump fur joy
Ah heard him say
But ah've got a bad leg!

Let's huv a partayyy
Ah heard him say
But ah'm knackered, ah need ma bed!

Lerritgo
Ah heard him say
But ah want tæ haud oan!

Dinnæ fash
Ah heard him say
But so much cuid go wrong!

Keep the heid
Ah heard him say
But mine is fit tæ burst!

Tak a chance
Ah heard him say
But ah'm weighin up ma options furst!

Lighten up
Ah heard him say
But ah feel awfy heavy!

Och, jist cut loose
Ah heard him say
Och, ah think ah'll join him in a bevvy!

WEE MURDO AN HIS PALS

Ah wus welly deep in daffodils
When Monty Don roared intæ toon
Tæ judge the Best-est Garden
By gaddin a' aroond

Up an doon the neighbourin streets
An a' aroond the hooses
Huvin a guid gander
A' the flower beds an the spruces

The hedges an the willows
They a' screamed fur his attention
But none o' them came near ma place
None o' them wur wurth a mention

Fur ma garden wus chock a block
Wi ma braw wee garden gnomes
Who won? Me, o' course!
It wuidnæ tak Sherlock Holmes

Tæ see wee Murdo wus the clincher
Parked doon oan a stool
Wavin his wee fishin rod
Dippin it in ma goldfish pool

Ah got the Number Wan prize
Number Two an Three as well
Murdo an his wee elfin pals
Were wee beardy bombshells.

LEWIS HAMILTON? AYE, RIGHT.

Ah luv ma ither hauf richt enuf
Except when he's behind the wheel
He thinks he's Lewis Hamilton
Ah cannæ tell him tæ get real!

He's no drivin oan a race track
He's skuddin roond wur cul de sac
Dæin handbrake turns, makin tyres burn
Aye, he thinks he's got the knack

O' bein a Formula Wan driver
Who's gaun tæ be weel kent
Flyin roond the wurld
In his fantoosh private jet.

Ah jist huv tæ watch oan quiet lik
An let him huv his heid
Then tell him it's time fur supper
Tha' ah've made his fav'rite fried breid.

It's only then he'll park up
An come richt back doon tæ earth
Til then best tæ gie wur family saloon
A muckle great wide berth.

FERGIE THE HAMSTER

Ah wance hud a hamster
Wee Fergie wus his name
Efter the fitba manager
But the rodent wus mair tame.

He'd nibble oan a carrot
An sit upon ma lap
An when he got tired o' freewheelin
He'd curl up fur a nap.

Ah loved ma hamster Fergie
But he didnæ luv me back
In fact, he ran awa
The day Ronaldo got the sack.

It wus as if he an Big Alex
Were psychically in tune
Cos in fitba season the wee thing
Wuid jist howl a' the moon.

He'd go mad when he saw Beckham
Dæ thæ ads oan late nicht telly
He'd throw himself against his cage
An soil his beddin til it was smelly.

He went mad oan days when Rooney
Scored a goal or two
An ah cuid swear ah heard a wee hamster laugh
When Roy Keane threw wan o' his to-do's.

Still, ah loved ma hamster Fergie
E'en tho his grit wus built in
Ah often wunner if Alex Ferguson
Kent he hud a wee furry twin.

SUSAN COHEN

MA WEE DUG

Ma wee dug is a' ah need
Ma wee dug is special
Ma wee dug wuid mak me a cup o' tea
If his paws cuid reach the kettle.

Ma wee dug thinks ah'm beautiful
Jist lik a super model
He doesnæ care a jot
When he sees ma spare tyre wobble.

Ma wee dug jist loves me
Jist the way ah am
Whether ah feed him chicken
Or corned beef or smoked ham.

Ma wee dug is ma best friend
He gies me a' the love ah need
Mind, I'm staundin in a puddle
Where ma darlin dug jist peed.

GIEIN IT LALDIE

Oan the sly they pretend tæ be rock stars
In their kitchen richt late a' nicht
She's Tina Turner in her goonie
An he's Mick Jagger in the richt licht.

She struts aroond giein it laldie
He grooves an shoogles his hips
She flicks her wig o'er her shooders
He pouts his muckle great lips.

They may be drawin their pensions
But sumtimes they jist dinnæ care
In their kitchen they're giein it big licks
In their heids the crowds are cryin fur mair!

WHARRA JOKE!

He hee-haw'd in Burger King
Til chips came doon his nose
She tee-hee'd in B&Q
Til she tripped o'er a garden hose
He snorted in Dobbies Garden Centre
Til he dropped his beddin plants
She howled in Marks and Spencer
Til she wet her underpants.

They hurried straicht back hame
So she cuid change her knickers
As she wus slippin oan clean underwear
She wus sure she heard a snicker
He wus still gigglin
Til he wus fit tæ burst
Hoppin doon the stairs
Tumblin doon heid furst.

'When will we stop chucklin?'
She cried oot through the door
But he nivver heard her
He wus rollin oan the floor
'Jings, wha are we gaun tæ dæ
Tæ stop laughin a' thon joke?
We'll huv tæ take sum breaths
An blaw intæ a paper poke!'

They blew an blew an blew an blew
Til they cuid blaw næ mair
They hud lang run oot o' puff
An sank doon in their chairs
They were quiet fur a while
Until they started tæ titter
Och, it wus jist no bloomin use
Thon joke wus a lifelong sidesplitter!

BRAD, MA VALENTINE

The day tha Brad Pitt walked in
Tæ wur local supermarket
Ah hudnæ hud ma lippy oan
An wus lookin kinda hackit.

Ah tried tæ gie him the glad eye
Across a shelf o' tangerines
Ah followed him up the toothpaste aisle
An trapped him by the Listerine.

Ah flashed him ma best killer smile
But it didnæ seem tæ wurk
Ach, ah wasnæ lookin ma hottest
Ah'd jist come fræ ma wurk.

Ah wus covert in spiders' webs
An muckle great layers o' dust
Ma hair wus matted wi loads o' stour
Ma clathes were clarted wi' rust.

Ah'd bin tunin an auld Ford Capri
Doon a' ma wurk's yard
But wan thing's fur chuffin certain
Figurin it oot isnæ really hard

Hud ah been lookin ma best tha day
Noo Brad wuid be ma Valentine
Ah'd huv nailed his baits tæ the flair
Aye, he'd be well an truly mine.

DREAMBOAT

In his heid he can sing lik Pavarotti
He can dance lik yon Fred Astaire
He can act lik Al Pacino
Then he gets dressed an he comes doon the stairs.

She sees him in his thermal semmit
An his droopy auld corduroy breeks
An she tells him tæ get a grip o' himsel
Tæ go tæ the mirror an tak a guid keek.

'Och,' he says, 'ah lik whit ah see
Ah'm the spit o' yon Vernon Kay!'
'Aye richt,' she says smilin, 'ye're a dreamboat
Sure ma een will be glued tæ ye a' day!'

DAVID BOWIE'S BUSY

Ah wance saw David Bowie
He wus wearin thigh high baits
He wus only yards away
Ahint security gates.

It wus in the eighties
An he was jist ice cool
He wus steppin into a limo
Ah wus gaun tæ play sum pool.

Ah thocht ah'd mebbe catch his eye
An he'd turn richt aroond
But as ah went tæ wave tæ him
Ah tripped an fell doon oan the groond.

Ah wus black affrontit
Tæ fa' heid o'er heels
Landin in a fankled heap
Efter a muckle great cartwheel.

Thing is, he didnæ see me
Truth is, næbody did
Ah wusnæ in the spotlight
Thæ daft things in life are hid.

Næwan cares when ye muck up
They're jist too busy livin
So dinnæ go imaginin
A' thæ hoots tha they are givin

Nor ony wee embarrassments
Nor failed aims tæ be high brow-y
Ma hero nivver noticed
He wus too busy bein David Bowie.

WEE MANKY JIMMY KRANKIE

Eh? What's tha ye say?
Ah'm awfy wee an look lik Jimmy Krankie?
Weel, guid things come in sma gear
E'en tho ma gear's a wee bit manky!
Mebbes ah huvnæ washed or put oan ma clean kegs
But ah'm smellin o' sexy pheromones
An struttin roond flashin ma bare legs!
So chill yer beans, ya dirty brute an stop yer
gallus patter
Or ah'll staund upon ma tippy toes
An douse ye wi a bucket o' cauld watter!

ALASDAIR
THE ALLITERATION FAIRY

Alasdair the alliteration fairy
Lived in a colossal custard cream
He wore a fancy frilly frock
In a shade o' glossy garish green.

He sumtimes wore a sleek sharp suit
An fantoosh faux fur boots
He dyed his hair rebellious rusty red
Burnished brilliant brown-ish at the roots.

Efter his dynamic dramatic days
Hurryin in his husky-drawn dog sled
He'd wave his wand in wondrous ways
An heid fur his bouncy belter o' a biscuit bed.

NICHT TIME SMILE

Ah coorie doon in ma scratcher
An pull the candlewick o'er ma heid
The last thing ah see a' nicht
Is really a' ah need.

A broad beamin bonnie smile
Sits richt up near ma face
Ah've næbody else in the hoose
Næbody roond the place.

It's jist me an the great big smile
Through ma life's hills an' valleys
Aye, it's jist me an' ma crystal glass
Which ah use tæ steep ma wallies.

SUSAN COHEN

THOCHTS O' HAME

FUR THEM THA LISTEN AN SEE

Whose heart doesnæ swell
Seein dark Scottish hills
Framed in the gloamin
By pink skies chilled
By late winter efternoons
An breath-blown clouds
Cryin oot tæ them tha listen
Proud clear an loud -
Ah am yer land
Ye belong tæ me
Ah am yer very heart
See me
Ah'll set ye free?

FLOWER OF SCOTLAND

When a crowd sings Flower O' Scotland
A'body starts greetin
They a' staund an sway tægither
An they ignore their seatin.

Auld yins an young uns
They a' feel the same
It grabs them by their hearts
An maks them think o' hame

An a' it means tæ be Scottish
A' it means tæ belong
There's nothin tæ stir the heart
Quite lik thon hauntin song.

SUSAN COHEN

THE FINAL WORD

FARE THEE WEEL

She watched him walk awa
Fur it wus time fur them tæ part
She felt tha she shuid say sumthin
But where oan earth tæ start?

'Fare thee weel, great love o' ma life!'
Wuid tha be the wiy tæ go?
Naw, she wuidnæ really mean it -
Tha he'd surely know.

'Sweetheart, how ah've loved ye!'
Wuid tha be a wee bit better?
Naw, tha wuidnæ dæ the trick
Jings! It'd be easier in a letter!

Then it jist came tæ her
'Mind an jist ca canny!'
An as he turned aroond she added
'An dinnæ be a fanny!'

SUSAN COHEN

GLOSSARY

acquent .... acquaint(ed), get to know
afore .... before
ahint .... behind/beyond
baffies .... carpet slippers
bairn .... child
baits .... boots
bawheid .... stupid/troublesome person
bevvy .... alcoholic drink
braw .... great
broon .... brown
bunnet .... bonnet, hat
canny .... careful
clart .... messy person
coorie in .... cuddle in
cauld .... cold
chock foo/chock a block.. full
cloot .... cloth, dish cloth
coupon .... face
couthie .... nice, pleasant,
　　　　　　　　　　　　　good-natured
crabbit .... bad tempered
dinnæ fash .... don't worry
dug .... dog
een .... eye(s)
e'en .... even
erse .... backside
fankled .... tangled, messy
fantoosh .... fancy/over the top
fitba .... football
flair .... floor
fowk .... folk

gadgie	man
galloot	silly person
gallus	mischievous, cheeky
gander	walk around, tour
goonie	nightdress, nightgown
greet	cry
gutties	plimsolls
heid	head
heighlan coo	highland cow
hooley	party
hunners	hundreds
jammies	pyjamas
jings!	gosh!
keich	excrement
mammies/maws	mothers
maukit	dirty
mebbe	maybe
midden	dirty heap
pure mental hairy	wild fit of rage, shock
radio rental	mental (rhyming slang)
scabby	rough-looking
scran	food
scratcher	bed
semmit	vest
sheugh	backside
shindig	party
shoogly	unsteady, wobbly
skoosh	easy ride

skuddin .... whizzing
sleekit .... sly, crafty
soor puss .... sour face
stour .... dust, dirty
stramash .... noise
stooshie .... big fuss, mess
swally .... alcoholic drink
switherin .... deciding between
wabbit .... exhausted, washed out
wheech .... throw quickly, chuck

Why no hoof it o'er tæ www.theweebookcompany.com tæ tak a swatch a' wur crackin titles, doonload a FREE e-book an sign up fur wur Newsletter tæ keep up wi a' wur latest chat?